# Beck

HAROLD SAKUISHI

EAST

C'EST COMMENT, BECK ?
SAIS PAS ...
J'VAIS AUX CHIOTTES !

BOBOM
BOBOM
BOBOM

CLAC

OUAIS OUAIS
Je suis tendue rien qu'à les regarder

ON Y VA, KOYUKI !
EUH ... OUI
CLAC CLAC

Je vais donner tout ce que j'ai !
ONE !
TWO !
THREE !
FOUR !

DAAAM
BBO
BOM

DAH
DOH
DOH
DOH
DOH
55
JAH
JAM

NYAH
WYANG
WYAH
DOH
DOH
DOH
DOH

KOYUKI ! REGARDE PAS PAR TERRE QUAND TU JOUES !!
GÉNIAL... C'EST DONC ÇA, UN LIVE ?!
C'est la première fois que je ressens une telle exaltation !!

C'EST
FOUTU
...
GNÉ
?

C'EST COMPLÈTEMENT MORT !

CE JOUR-LÀ LE PUBLIC RES APPUYÉ CONTR LES MURS ...
IL N'Y EUT PAS LE MOINDRE APPLAUDISSEMENT ENTRE LES MORCEAUX, DE TOUT LE CONCERT ...

C'ÉTAIT MIEUX QUAND TÔ ÉTAIT LÀ NON ?
À LA FIN, IL Y EN A MÊME EU POUR DIRE CE GENRE DE CHOSES ...

...

C'ÉTAIT QUOI, CE REGARD DE CONNIVENCE ?

L'HORREUR ...

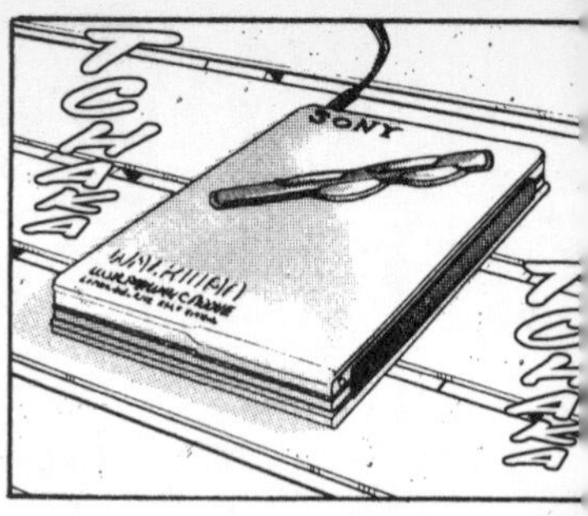
TCHAKA
SONY
TCHAKA

JE SUIS UN VRAI BOULET POUR EUX

MAIS RYÛSUK A DIT QUE T'ÉTAIS B DÉBROUI !
IL PAR-LAIT DE SAKU
TCHAKA
TCHAKA
J'AI ÉTÉ MINABLE À LA GUITARE

TCHAKA
TCHAKA
IL NE FERA PLUS JAMAIS APPEL À MOI

DIS,
CE TRUC
AUTOUR DE
TON COU
...

OH,
ÇA
?
TCHAKA TCHAKA
TU
VAIS PAS
MARQUÉ
E JE LE
RTE TOUT
E TEMPS
?

C'EST LE
MÉDIATOR
D'EDDIE QUE
TU M'AVAIS
DONNÉ... C'EST
MON PORTE-
BONHEUR
!

MWÉ HÉ HÉ HÉ HÉ HÉ !

WALHMAN

CE MORCEAU EST GÉNIAL ...

ÉTANG DE PÊCHE

C'EST UNE NOUVELLE CHANSON
MAIS ELLE N'EST PAS ENCORE FINIE

C'EST UNE DÉMO QUE VOUS AVEZ FAITE APRÈS LE CONCERT ?
QUOI, TU VEUX QUE BECK JOUE ÇA ?

HMMM... LE MORCE EST BON MAIS ...
AAÏE AM EUH ANAR-CHIST ♪...
LA VOIX DE CHIBA EST TROP PUNK POUR CHAN-TER ÇA

TU RIGOLES ELLE FOU LE CAFAR CETTE CHANSO
Comment tu veux que j'la chante ?

EUH ...
CLAC

T'AS QU'À RECRU-TER ...
SALUT !

TU ME LA
LAISSERAIS
CHANTER
?
RED

STUDIO
GRACIE

ELLE S'APPELLE COMMENT, CETTE CHANSON ?

POUR LE MOMENT, "SISTER"

BIEN SÛR ...
C'EST UNE CHANSON SUR MAHO, N'EST-CE PAS ?

C'EST ENCORE MIEUX QUE SUR LA CAS-SETTE QU'ON A ÉCOUTÉE
LE TALENT DE COMPOSITEUR DE RYÛSUKE EST INCROYABLE !

RED LIGHT

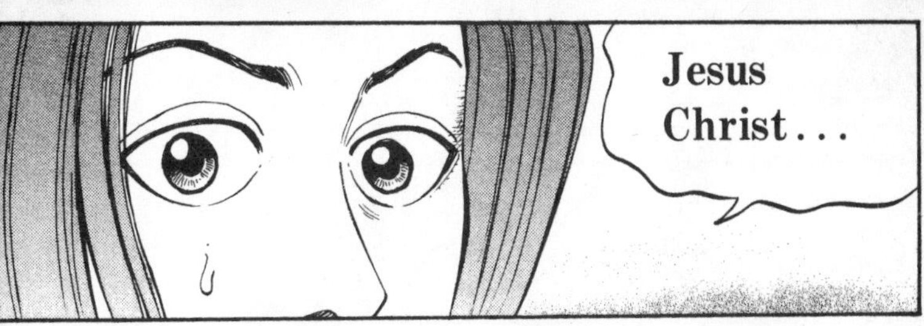
Jesus Christ...

WOAH ... COOL !

TAIRA-KUN, T'EN DIS QUOI, TOI QU'ES CONTRE L'ENTRÉE DE KOYUKI DANS LE GROUPE ?

NON... JE SUIS PAS CONTRE
GNIIII
LE DERNIER LIVE A ÉTÉ LAMEN-TABLE, MAIS ...
JE SAIS PAS POUR-QUOI, JE SENS ...

QUE NOTRE GROUPE VA DEVE-NIR ABSOLUMENT GÉNIAL

MAIS PAS À SON NIVEAU AC-TUEL, BIEN SÛR

JUSQUE-LÀ JE SAVAIS PAS CE QUE JE DEVAIS FAIRE ...
NI COMMENT FAIRE LA DIF-FÉRENCE AU MILIEU DE TOUS CES GROUPES

MAIS LÀ, J'AI ÉTÉ PRIS AUX TRIPES PAR LE CHANT DE KOYUKI

SI NOTRE ALCHIMIE À TOUS LES CINQ TE DONNE L'ÉTIN-CELLE, C'EST PARFAIT !

TOUS LES CINQ ?

C'EST DÉCIDÉ, VOUS FAITES PARTIE DE BECK !
!!

CE JOUR-LÀ, SAKU ET MOI SOMMES DEVENUS OFFICIELLEMENT MEMBRES DE BECK !!

EH, SI T'ENGAGES UN NOUVEAU CHANTEUR, ÇA VEUT DIRE QUE J'SUIS VIRÉ ?

IDIOT ! LES CONCERTS VONT MANQUER DE PUNCH SI T'ES PAS LÀ

HO
EUH, SINON JE PEUX JOUER DE LA GUITARE
Y a longtemps, j'étais dans un copy-band des Blue Hearts

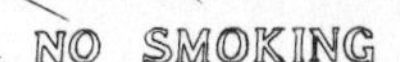
NO SMOKING

IL EST FORMELLEMENT INTERDIT DE
OIRE ET DE MANGER DANS LE STUDIO !
DALES D'EFFETS AU REZ-DE-CHAUSSÉE
VEILLEZ À TOUT REMETTRE
N ORDRE AVANT DE PARTIR !!
MERCI
TABAC,
NOURRITU
ET BOISSO
INTERDI
* LES CONTREVENANTS
SE VERRONT INFLIGER UNE
AMENDE DE 10 000 YENS
PAR LE STUDIO.
MAIS C'EST LÀ QUE ÇA A COMMENCÉ À ÊTRE DUR !!

RÉPÉTER !!

RÉPÉTER !!

RÉPÉTER !!

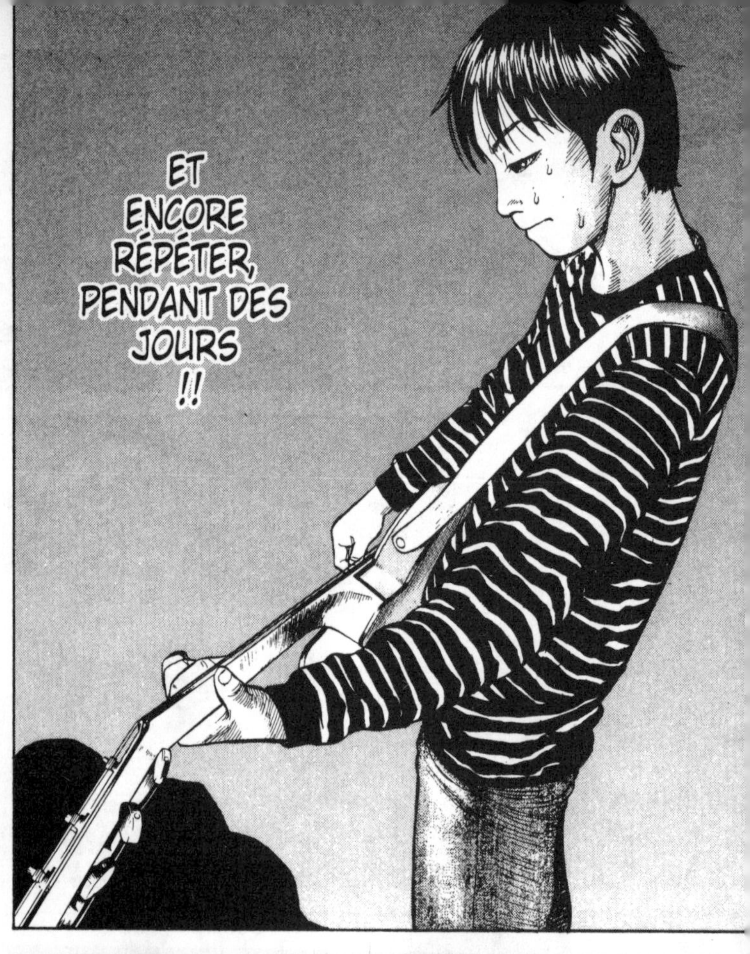
ET ENCORE RÉPÉTER, PENDANT DES JOURS !!

ÇA S'EST ENCORE FINI TRÈS TARD SAMEDI SOIR... J'ÉTAIS CREVÉ
JE ME SUIS ÉCROULÉ DÈS QUE JE SUIS RENTRÉ CHEZ MOI

TU AS ENTENDU LE NOUVEAU SINGLE DES BREED ?

OUI, IL EST PASSÉ À LA RADIO. C'EST UNE BELLE CHANSON !
GRAND SOURIRE
HOP

J'AI TOUT DE SUITE ESSAYÉ DE LA JOUER À L'OREILLE
PLONG

CLA

ON Y VA, SAKU
TCHA TCHA

À QUI IL A DEMANDÉ POUR POSER SES SALES PATTES SUR TA GUITARE, C'UI-LÀ ?
IL A PRIS LA GROSSE TÊTE DEPUIS LE CHAMPIONNAT DE NATATION
C'ÉTAIT LE OUVEAU TITRE DES DYING BREED ...

HEIN ?
"CITY"... C'EST PAS SI FACILE QUE ÇA À JOUER

T'AS LE DROIT DE LES EMPORTER ?
TCHA
TCHA
IL EST PLUS COMME IL Y A UN AN !

TOC
LES RUMEURS COMME QUOI SAKURAI ET LUI ONT FAIT LEURS DÉBUTS EN LIVE HOUSE ÉTAIENT DONC VRAIES ?

齋藤紙
* PAPETERIE SAITÔ.
NON NON NON ! JE REFUSE D'ALLER DANS UN LIVE HOUSE
CAHIERS DANIEL
ÉDITIONS SAWADA
JE VAIS Y CHANTER !

DÉSOLÉ, MAIS JE TROUVE LA MUSIQUE AC-TUELLE SANS INTÉRÊT !!

MOI CE QUE J'AIME, C'EST LES BEATLES, LES YARDBIRDS, LES STONES À LEURS DÉBUTS
LE "BRITISH BEAT" DE LA GRANDE ÉPOQUE ...

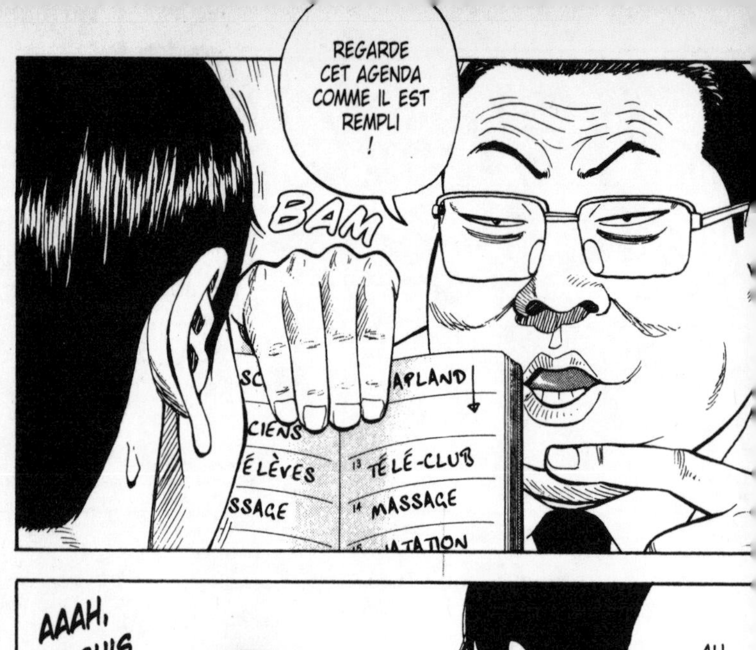
REGARDE CET AGENDA COMME IL EST REMPLI !
BAM
APLAND
CIENS
ÉLÈVES
SSAGE
13 TÉLÉ-CLUB
14 MASSAGE

AH BON... QUEL DOM MAGE
AAAH, JE SUIS TRÈS TRÈS OCCUPÉ !
POURTANT, MOMOKO-SENSEI VIENDRA ...
BLING
DÉSOLÉ D'AVOIR INSISTÉ
CRRITCH
CRRITCH
TÉLÉ-CLUB
SSAGE

YENS FONT 7,40 EUROS.

JE TE PASSERAI À MILLE YENS* DE L'HEURE, DÉBROUILLE-TOI POUR QU'ELLE SOIT LÀ !!
CRIII
CRIII

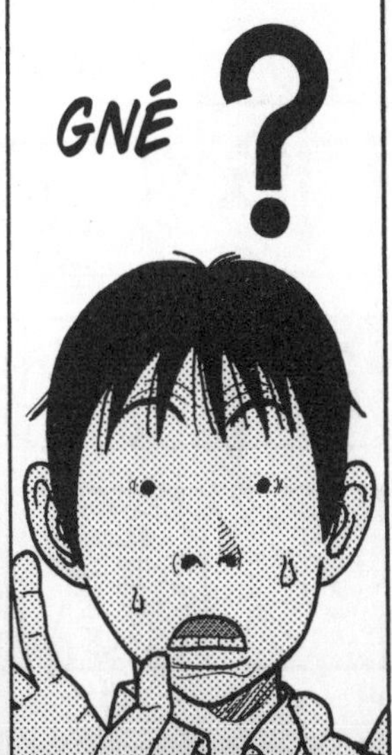

GNÉ ?

LE JOUR DIT ...
焼肉
すずのや

FIOUUUH...
JE SUIS NETTEMENT PLUS TENDU QUE L'AUTRE FOIS ...
GNIIIH...
等価交換
開店 12
新

BLAM

OH,
RD...

TSING

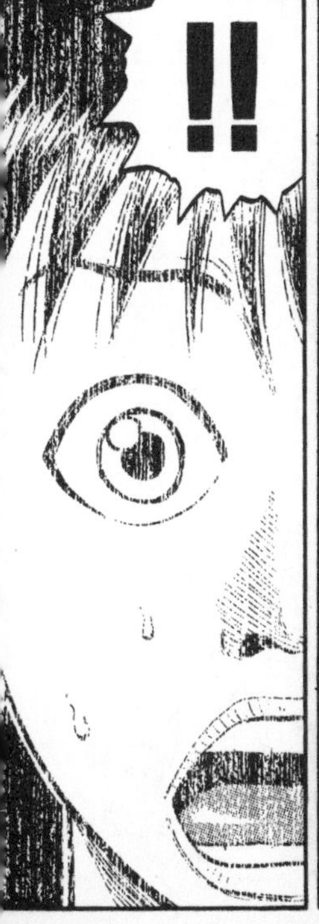
!!

RIKIYA !!
TIENS, C'EST TOI ?
MASARU M'A DIT QUE T'ÉTAIS DANS UN GROUPE

EUH... J'AI UN CONCERT, JE VAIS ÊTRE EN RETARD SI JE N'Y VAIS PAS MAIN-TENANT

PEUH ! TON CONCERT, JE M'EN FOUS

BOBOM
BOBOM
BOBOM

TSHAN
LAISSE-MOI JOUER
MAIS ...

TSHAN
TSHAN
DE TOUTE FAÇON, ÇA DOIT PAS ÊTRE UN GROUPE IMPORTANT

!

HOP
!!
C'EST QUOI, ÇA ? C'EST JOLI !

NE ...
N'Y TOUCHE PAS !!

TCHAC

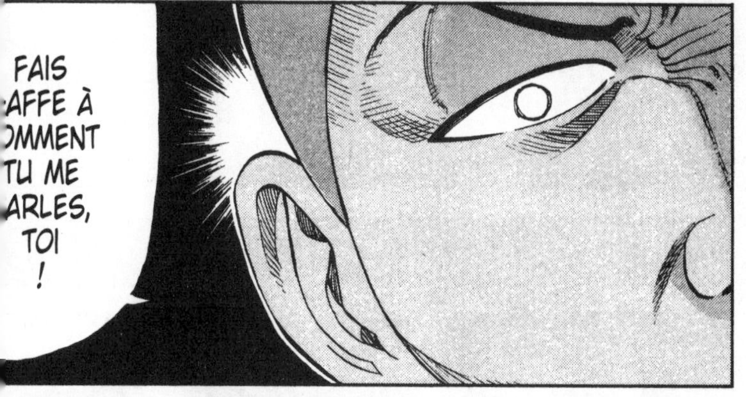

FAIS AFFE À OMMENT TU ME ARLES, TOI !

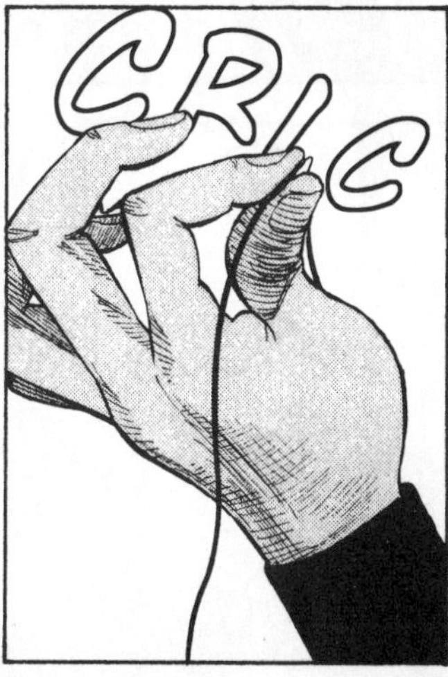

CRIC

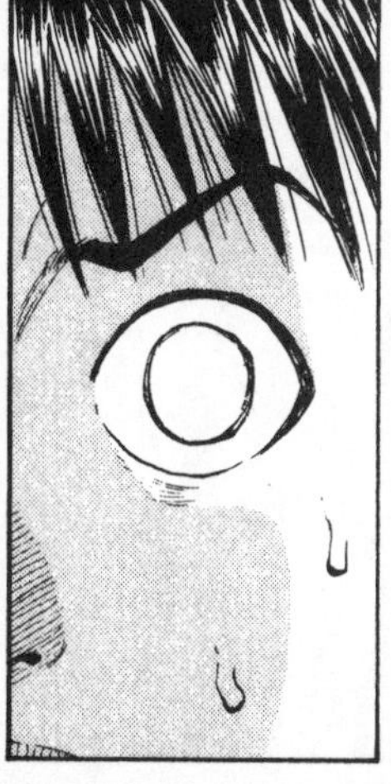

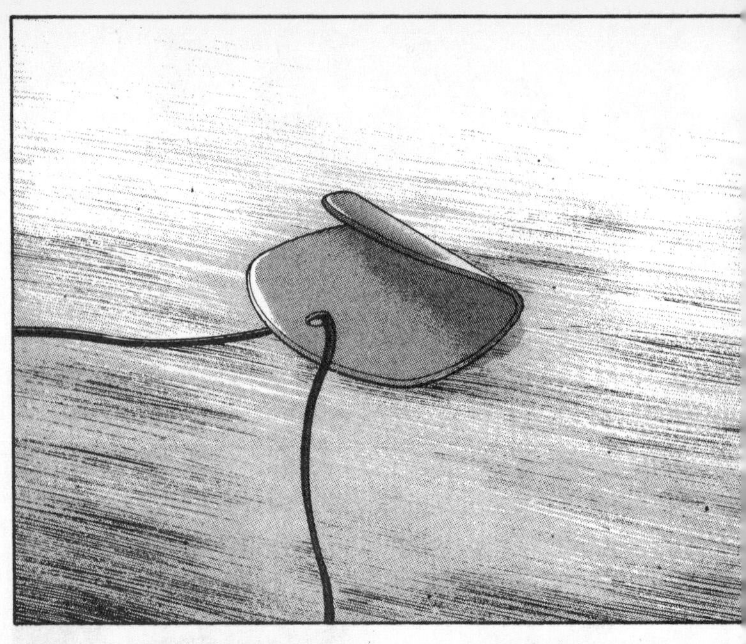

J'TE L'PAR-DONNERAI JAMAIS !

HEIN ?!

BLOF

MWAH HA HA HA ! PAS MAL !!
ALLEZ APPRO-CHE, NABOT !!

!!
BLAM
DAM DAM DAM DAM
VLAN
BADAM

J'VAIS T'BUTER, NABOT !!

OH, ÇA SUFFIT !!

JE VEUX PLUS TE VOIR MALTRAITER LES FAIBLES !
GOLD BLEND

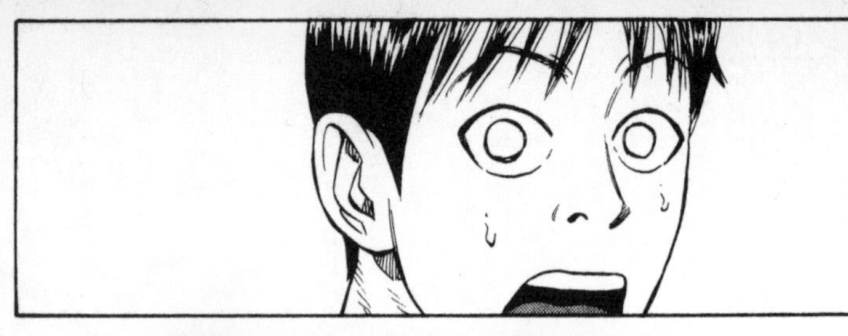

JE SUPPORT
PAS LES BRUT
QUI SONT INSE
SIBLES À LA
DOULEUR DE
AUTRES

ET L
ALOR
?

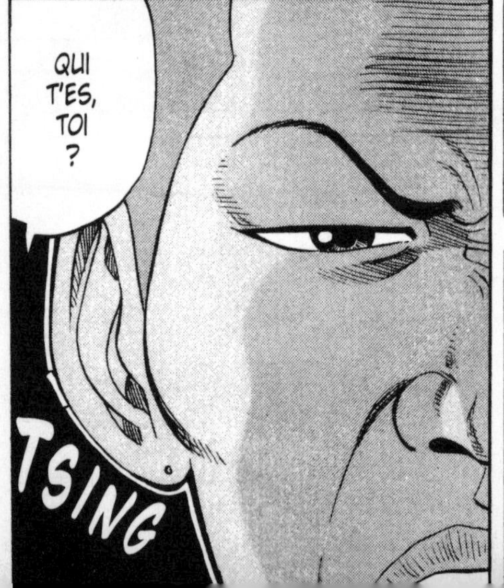
QUI T'ES, TOI ?
TSING

DADAM
J'AI APPELÉ LES AUTRES AVEC MON PORTABLE, ILS ARRIVENT !

T'AS DU CRAN, KOYUKI, ÇA ME PLAÎT

CHIBA-KUN SE FAISAIT TOU-JOURS EMBÊ-TER QUAND IL ÉTAIT PETIT

DAM
DAM

SHH

CHIBA-KUN !
T'IN-QUIÈTE

GOLD BLEND

GVUPS
JE VOULAIS JUSTE LE PRÉVENIR QUE RIKIYA-SEMPAI FAIT PAS SEMBLANT D'ÊTRE COSTAUD !

LAM
BLOM
!!
SHOUF
WAH !

BLAF
BODOM
AAAAAH!!

BAM
BOOM
BLAF
CHIBA-KUN !!

CHIBA!!
!!

BAM
GH!

TU LE CROIS, ÇA ? AVANT D'APPRENDRE LE KARATÉ, CHIBA ÉTAIT MALINGRE ET PLEURNICHARD
TU M'AS EU EN TRAÎTRE !
FROT
TA GUEULE !
ÇA, C'EST DE LA PART DE KOYUKI !!

BOM

BLAF
BIEEEEN!
UUUUUN!
DEUUX!
TROIIIS!

DOWN !!
GOLD BLEND

T'ES... RYÛSUKE, DE SERIAL MAMA ...

UN DE MES SEMPAI CONNAÎT YAMAGISHI, LE BASSISTE ...
IL M'AVAIT MIS SUR LA LISTE DES INVITÉS, JE SUIS ALLÉ VOUS VOIR EN CONCERT
Mais j'ai pas participé au pot après le concert ...

T'ES TROP BO À LA GU TARE, Ç M'A ÉM ...
POUR MOI, T'ES LE JIMMY PAGE JAPONAIS !

IL EST INCREVABLE, C'UI-LÀ ...

QUANT À TOI, J'AURAI MA REVANCHE !

QUAN TU VE !

OUH ...
PFFF
PFFF

MAHO
...

EDDIE M'EN DONNERA D'AUTRES QUAND IL VIENDRA AU JAPON

PLIC

POC

AUJOURD'HUI, JE SUIS VENUE ENTENDRE "SISTER" ...
JE COMPTE SUR TOI !

ÇA TE MET LA PRESSION ?

HMMM, PAS TROP

BON, ON Y VA, ON VA ÊTRE EN RETARD À LA RÉPÈT' !!

OUAIS !!

GOLD
BLEND

C'EST À PEU PRÈS À CE MOMENT-LÀ QUE MA VIE
...

MMENÇA
RTIR PAS
DE SES
RAILS
...

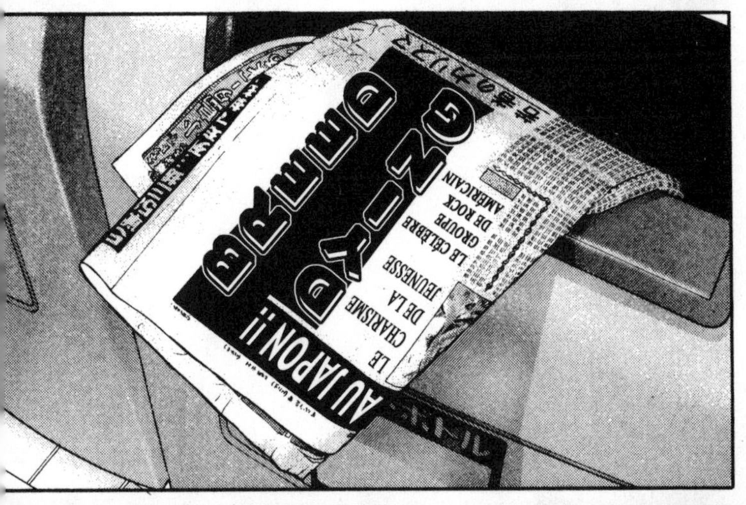
LE CHARISME DE LA JEUNESSE
LE CÉLÈBRE GROUPE DE ROCK AMÉRICAIN
AU JAPON !!

# Beck

HAROLD SAKUISHI

MIIIN~
MIIIN~

RAMEN CONDOR

8 AOÛT

TIENS ...

DÉSOLÉ DE TOUJOURS VOUS DEMANDER DES AVANCES !
MERCI MERCI
ÇA ME GÊNE PAS, T'ES SÉRIEUX DANS TON TRAVAIL

MAIS IL TE COÛTE SI CHER QUE ÇA, TON GROUPE ?

C'EST GALÈRE, U
GROUPE PA
CONNU
UNE FOIS, LE GROUPE D'ÉTUDIANTS QUI DEVAIT JOUER AVEC NOUS N'A PAS PU VENIR À CAUSE DES EXAM', ET ON N'A EU QUE QUATRE SPECTATEURS !
Tous des potes, en plus
MWAH HA HA HA

... TU TE PRÉPARES UN DRÔLE D'AVENIR SI TU NE LAISSES PAS TOMBER ÇA RAPIDEMENT

ALLEZ, VA PRENDRE TA PAUSE !
BIEN !!

AH !

DAH
DAH

SÉCURITÉ
DANGER
C'EST PAS UN TERRAIN DE

DANGER
SÉCURITÉ
TAIRA-KUU-UUN !!

WOAH ! GÉNIAL, ILS VIEN-NENT ENFIN ?!
TOURNÉE JAPONAISE !!
BREED
DYING

FAUT ABSOLU-MENT ALLER LES VOIR
TU CROIS QUE RYÛ-SUKE VA NOUS PRÉ-SENTER EDDIE ?

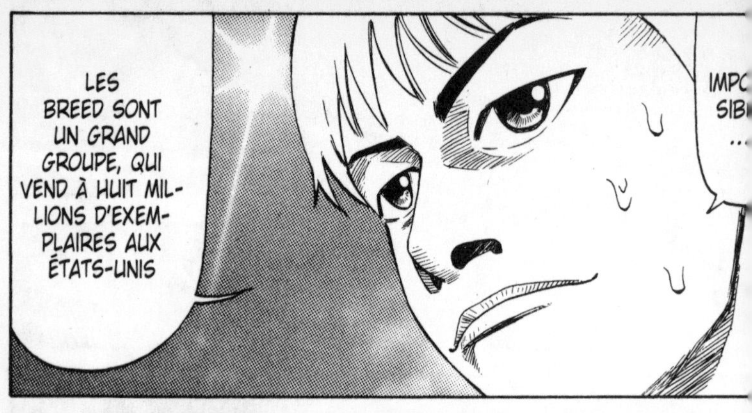
IMPO SIB ...
LES BREED SONT UN GRAND GROUPE, QUI VEND À HUIT MILLIONS D'EXEMPLAIRES AUX ÉTATS-UNIS

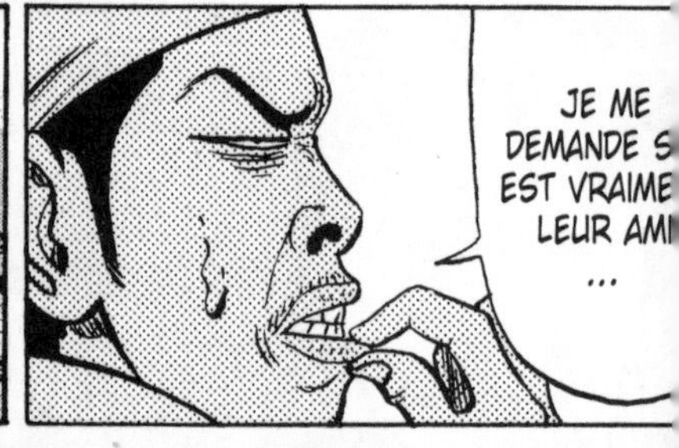
JE ME DEMANDE S EST VRAIME LEUR AMI ...

GÉNIAAAAL ! LES BREED VONT ENFIN VENIR AU JAPON !!

ALORS, DANS QUEL LYCÉE VEUX-TU ALLER ?

TACHI-HIKARI, OU TOYO-NAGA-EST

HMMM... C'EST UN PEU RISQUÉ POUR LE MOMENT
GNÉ ?

TU ES À L'EXTRÊME LIMITE

C'EST BIENTÔT LES VACANCES D'ÉTÉ ...
TU VAS DEVOIR LES METTRE À PROFIT

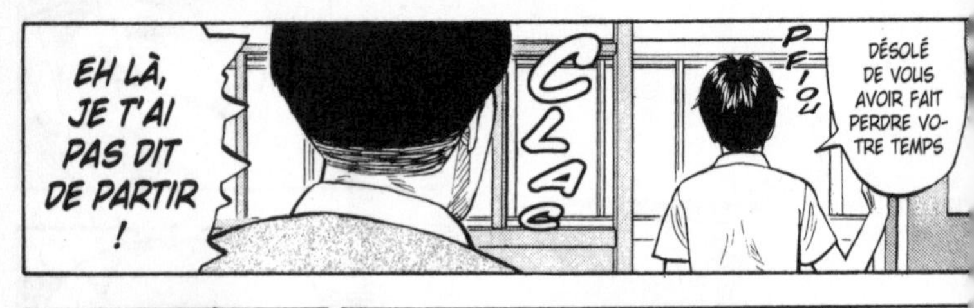
DÉSOLÉ DE VOUS AVOIR FAIT PERDRE VOTRE TEMPS
PFIOU
CLAC
EH LÀ, JE T'AI PAS DIT DE PARTIR !

IL PARAÎ QUE TU DANS L GROUP ...
TU VEUX DEVENIR CHANTEUR, PLUS TARD ?
EUH, NON !

LAISSE TOMBER ...
T'Y RRIVERAS JAMAIS

EN VINGT ANS D'ENSEI-GNEMENT ...
J'AI PAS UN SEUL ÈVE QUI T DEVENU HANTEUR

DAM DAM
QUI C'EST ? IL EST DRÔLEMENT BON À LA GUITARE !!

HYÔDÔ !!

INCROYABLE !
ON PEUT PAS COMPARER SA FAÇON DE JOUER AVEC CELLE DE L'ANNÉE DERNIÈRE !!

HOP

MIIIN
BAUM KUCHEN ?
MIIIN

C'EST UN GROUPE JAPONAIS QU ÉTAIT CONN QUAND ON AV TROIS-QUAT ANS

MAINTENANT QUE TU M'EN PARLES, JE CROIS L'AVOIR VU DANS UNE ÉMISSION DE TÉLÉ NOSTALGIE ...
Enfin je suis pas sûr

LEUR GU TARISTE MASATO KOHINAT ...
C'EST LE PÈRE DE HYÔDÔ !

ILS PORTENT PAS LE MÊME NOM ?!
NON !

HYÔDÔ, C'EST LE NOM DE SA MÈRE
IL A HANGÉ DE OM APRÈS E DIVORCE E SES PA-RENTS

QU... QUI TE L'A DIT ?
UN GARS BIEN INFORMÉ DE MA CLASSE
GRAND SOURIRE
HÉÉÉ

DITES DONC, VOUS DEUX, VOUS ALLEZ PARTICI-PER AU CONCER DU FESTIVAL D'AUTOMNE ?
LES VACANCES D'ÉTÉ NE SONT PAS ENCORE COMMEN-CÉES QUE VOUS PARLEZ DÉJÀ DU DEUXIÈME TRI-MESTRE ...
AH HA
CETTE ANNÉE, JE FAIS PARTIE DU COMITÉ D'ORGANISA-TION ET JE TIENS À CE QUE CE SOIT PARFAIT !
MAIS C'EST QUE BECK NOUS PREND BEAU-COUP DE TEMPS, ET ...
En plus, on doit penser à réviser pour les exam' ?

IL Y AURA UN CONCOURS, POUR DÉSIGNER LE MEILLEUR GROUPE ET LE MEILLEUR GUITARISTE !!
VOUS DEVEZ Y PARTICIPER !!
PLOUM

!!
À VOS ORDRES !!

BOULANGERIE
MASAKI

LE MEILLEUR GUITARISTE ?

TSING

COMME C'EST PARTI, CE SERA SÛREMENT HYÔDÔ

DAM
Merci !
NON ! JE VAIS PAS LAIS SER LE PUR-SAN GAGNER !

BOM
BOM
... BON, EST-CE QUE JE VAIS TROUVER DES MUSICIENS ?

ZOM
DOH
ELLE EST TOUJOURS AUSSI COOL ...
ET COMME TOUJOURS, ELLE CHANTE QU'EN ANGLAIS ...
ZOM
DOH

DOH
DOH
DOH

ELLE EST TELLEMENT DOUÉE
POURQUOI VEUT-ELLE RENONCER ?

POF
POF

EH ! T'ES LIBRE DEMAIN ?

DÉSOLÉ, J'AI DES TRUCS IMPORTANTS À FAIRE !!

QUEL GENRE ?

...
JE PEUX PAS LE DIRE !

BWAH
MOI AUSSI C'EST IMPOR-TANT !!

GRR
MAIS MOI, C'EST VRAIMENT IMPOR-TANT !!

C'EST VRAIMENT, VRAIMENT IMPORTANT !!

LOVELY UGLY

C'EST VRAIMENT SUPER IM-PORTANT !!

WAAAAH

LES PERSONNES DE MOINS DE 1,20 M NE SONT PAS AUTORISÉES À MONTER
MONTÉE
HYAAAAH
ÇA VA, KOYUKI ?

OUI, JE SUIS JUSTE DÉPRIMÉ

GHEUH
EN FAIT, J'AI LE MAL DES TRANS-PORTS ...

MAIS ALORS, LES PARCS D'ATTRAC-TION, ÇA N'A AUCUN INTÉRÊT POUR TOI !!

NON, MAIS ...
BON ...

FIOUM
JE VEUX MONTER LÀ-DEDANS !!
HEIN ?

PLATSH
PLATSH
PLATSH

ÇA C'EST PARFAI
!!
PLATSH
PLATSH
Comment ils foncent ...
YEEEHAAH

MAIS J'AI LES JAMBES RAIDES COMME DES PIQUETS, LÀ !!
GHAAAA-ooo

EH, TU PÉDALES VRAIMENT ?

MAHO, QU'EST-CE QUE TU AS ?!
Tu peux pédaler avec moi jusqu'au quai, au moins ?
PLATSH
PLATSH

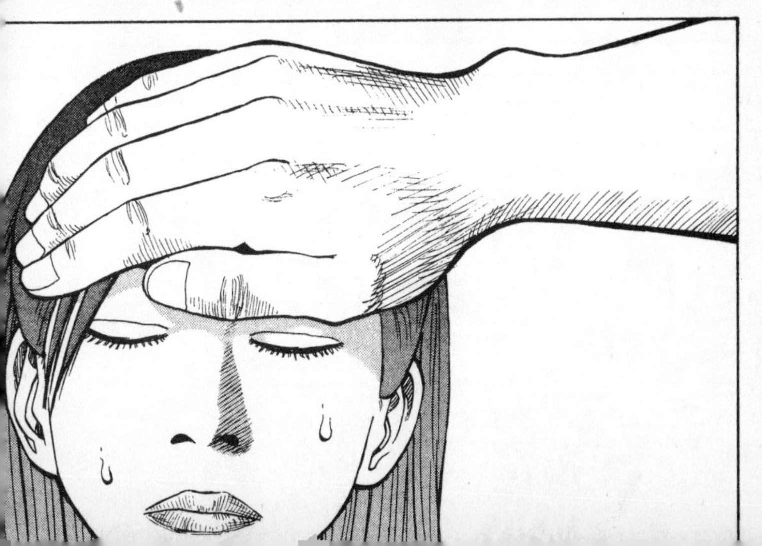

TU AS DE LA FIÈVRE ...
ÇA VA, ELLE N'EST PAS TRÈS FORTE

POURQUOI TU T'ES FORCÉE À VENIR ?!
C'est peut-être à cause de la pluie d'hier

BEN EN FAIT ...

TU T'EN DOUTES PAS ?!
GNIII

住友銀行

IBATA
DÉSOLÉ !
NON, C'EST MOI QUI SUIS DÉSOLÉE

TU PEUX VRAIMENT RENTRER TOUTE SEULE ?
MAIS OUI, PAPA VA VENIR ME CHERCHER À LA GARE

KOYUKI, TU TE SOUVIENS DU CHAMPIONNAT DE NATATION ?

BIEN SÛR ! C'EST À TOI QUE JE DOIS MA VICTOIRE MIRACULEUSE !
JE POURRAI PLUS JAMAIS NAGER COMME ÇA !

CE N'EST PAS DE ÇA QUE JE PARLE
GNÉ ?
ENSEMBLE, GARDONS NOTRE

JE T'AVAIS DIT QUE TU POURRAIS ME DEMANDER N'IM-PORTE QUOI SI TU GAGNAIS

EX-CUSE-MOI DEUX SE-CONDES

POOOON

MAHO !

ESSAIE DE PASSER PRO AVEC MOI !

PAS QUESTION !
PSHHH

POURQUOI ?!
TU CHANTES BIEN, TU ES JOLIE, U PARLES ANGLAIS, 'AS TOUT POUR DE- ENIR PRO !

JE NE SUIS PAS COMME TOI !

TOI, TU ES GÉNIAL

ATCHOUM!!

Tickets
EH, ÇA VA ?
OUI

BON, IL RESTE PLUS QU'À SE DIRE AU REVOIR

OK !
TAC
TAC
TAC

!!

PLATSH

HMM, IL SE DÉBROUILLE BIEN ...

PLATSH
PLATSH
PLATSH

DITES, SAITÔ-SAN ...
C'ÉTAIT COMMENT, VOTRE PREMIER BAISER ?
!!
BONG

C'EST U AFFREU SOUVEN ...
C'ÉTAIT UNE EMPLOYÉE DE SOAPLAND DE 40 ANS À YOSHIWARA

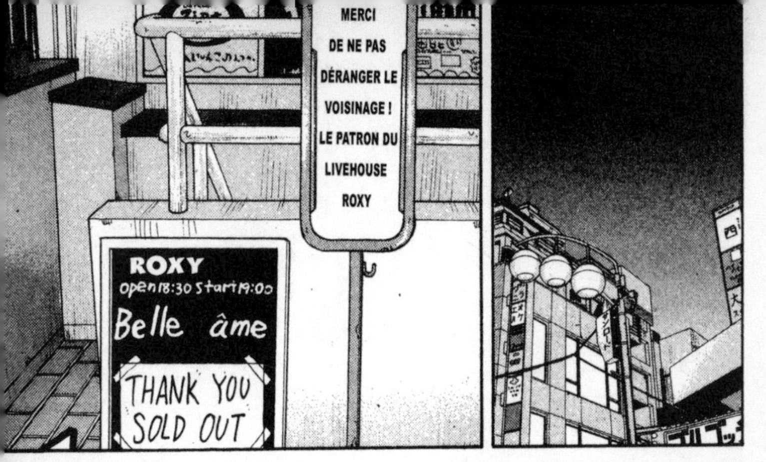
MERCI
DE NE PAS
DÉRANGER LE
VOISINAGE !
LE PATRON DU
LIVEHOUSE
ROXY
ROXY
open 18:30 Start 19:00
Belle âme
THANK YOU
SOLD OUT

NYUNG

WOW
WOW WOW
WOW WOW
WOW
!!

DOH
DOH
DOH
DDOH
DO

J'HALLUCINE OU EIJI NOUS A MÉCHAMMENT GRILLÉS PENDANT QU'ON FAISAIT PAS GAFFE ?

RYÛ-SUKE

OPEN 6:00
VOLUME-4.

RAN LES SOUTIENT... C'EST UN EX DU GROUPE NOIR, UN DES PONTES DU ROCK VISUEL

ON RACONTE QU'IL EST EN TRAIN DE SE BRANCHER DANS LE MILIEU DU ROCK AMÉRICAIN

WYUN

QUAND MÊME... C'EST VRAIMENT LE MÊME GARS QUI ÉTAIT DANS MON GROUPE ?
HÉ BÉ
C'EST MÊME PAS DU ROCK !
Builder Fence Co. inc.

MAIS IL S'AP-PRÊTE À FAIRE SES DÉBUTS EN MAJOR

JE RENTRE, JE TAFFE DEMAIN
MOI AUSSI

REGARDE BIEN, EIJI KIMURA
DOH DOH
DOH
DOH
ON VA TE
TTRAPER À
RE MANIÈRE
!

LES VACANCES D'ÉTÉ
...

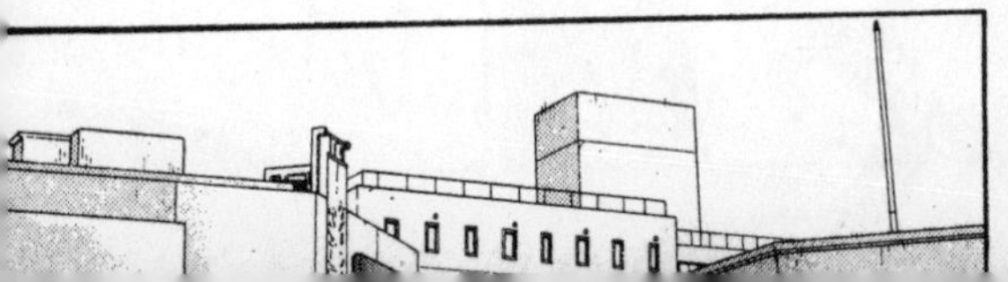

BLA
BLA
BLA

WAH
WAH
WAH
WAH

EH, ON EST SI POPULAIRES QUE ÇA ?
WAH WAH
L'AUTRE GROUPE N'A POURTANT RIEN DE SPÉCIAL

EDDIE VA VENIR, C'EST POUR ÇA

HEIN ?

L'INFO A DÛ FILTRER DE JE NE SAIS OÙ
ES GENS UI SONT SAVENT U'EDDIE LEE VA VENIR

NO-OON ...
ET TU NOUS BALANCES ÇA COMME ÇA ?!
JE VOUS L'AI PAS DIT PARCE QUE J'AI PENSÉ QU'IL VALAIT MIEUX PAS VOUS METTRE LA PRESSION !

CONNARD ! NOUS METTR LA PRESSIO ?
SI C'EST VRAI, C'EST UNE OCCASION EN OR DE FAIRE CONNAÎTRE NOTRE NOM !

中
LES BREED AU JAPON !
PANIQUE À NARITA

DAAAAM
IL N'Y A AUCUNE AMBIANCE
ILS SONT TOUS LÀ POUR EDDIE
...
...
SAUF UN
HOP
HOP
MOMOKO-SENSEI N'EST ENCORE PAS VENUE CETTE FOIS-CI ...

ILS SONT À LA BOURRE ...
TOC TOC
TOC TOC
DOH DOH
DOH DOH

/4/01/OUT!
/4/21/OUT!
CITY
27:00
the
S›U›B

AAAAH!!

T'ES CON OU QUOI, KOYUKI ?!

WAA-AAAH ! C'EST EDDIE !!
BODOM
J'Y CROIS PAAAS !
BO DOM

HYA-AAH ! C'EST LE VRAI !
IL A SOURI !!
C'EST VRAIMENT LE MEC LE PLUS SYMPA DE LA SCÈNE ROCK !!

MAHO, TU PEUX LEUR DIRE QU'ILS AURONT TOUS UN AUTO-GRAPHE APRÈS ?
OK !

EH, ON EST EN PLEIN CO CERT, L !
EDDIE EST VENU POUR LE VOIR !

TA GUEULE, TOI !!
BLAM
!!

BOOM

!!

PAUVRE GROUPE ...
HOP
ON LEUR RAFRAÎCHIT LES IDÉES ?

ARRÊTE, MATT ! ON DEVRA INTER-ROMPRE LA TOURNÉE SI ON SE PREND UN AUTRE PROCÈS

OUAIS ! OUAIS !
LE CHANTEUR, MATT REED, A VRAIMENT PAS L'AIR COMMODE ...
TU SAIS CE QU'ON RACON-TE QUE MATT A FAIT EN SUÈDE ?

UNE FOIS, IL EST MONTÉ SUR SCÈNE, MAIS IL ÉTAIT PAS CONTENT DE LA SONO ALORS IL EST REPARTI APRÈS LA PREMIÈRE CHANSON ...

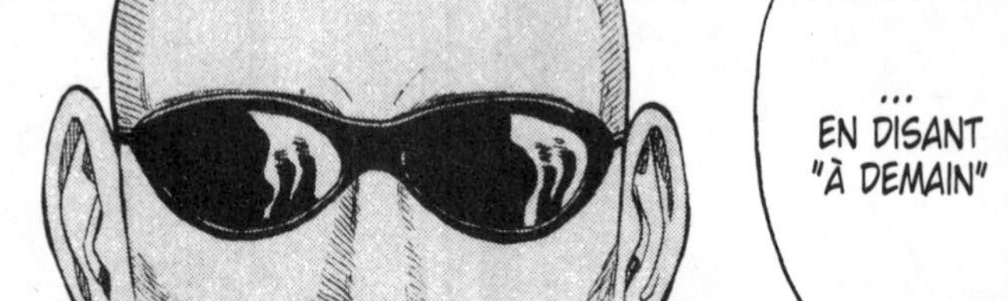
... EN DISANT "À DEMAIN"

C'EST DINGUE ...
ON LES FAIT MONTER SUR SCÈNE TOUS LES DEUX ?

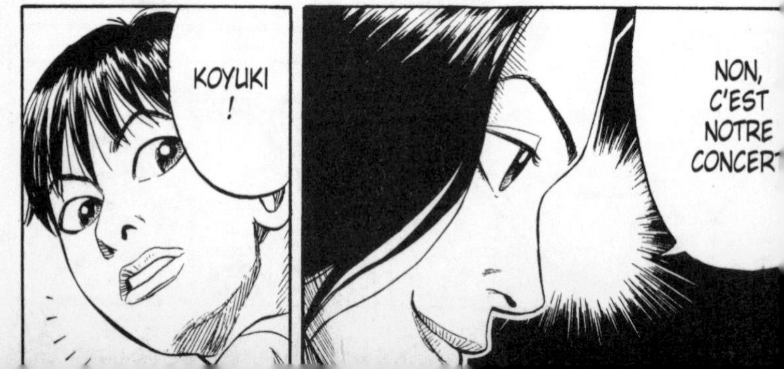
NON, C'EST NOTRE CONCERT
KOYUKI !

CHANGEMENT DE PROGRAMME, ON PASSE À "SISTER"

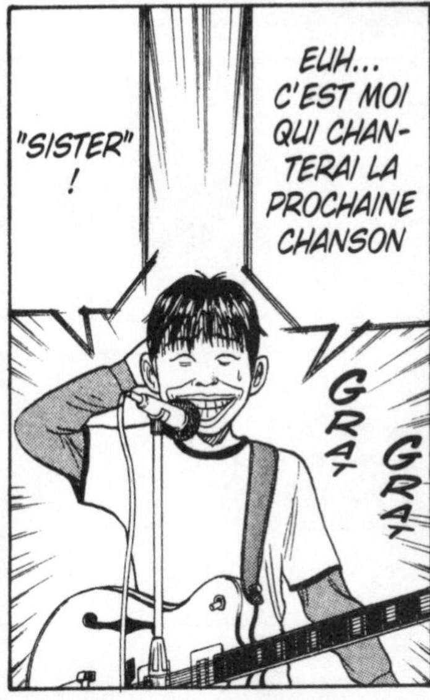
EUH... C'EST MOI QUI CHANTERAI LA PROCHAINE CHANSON
"SISTER" !
GRAT GRAT

WAH WAH

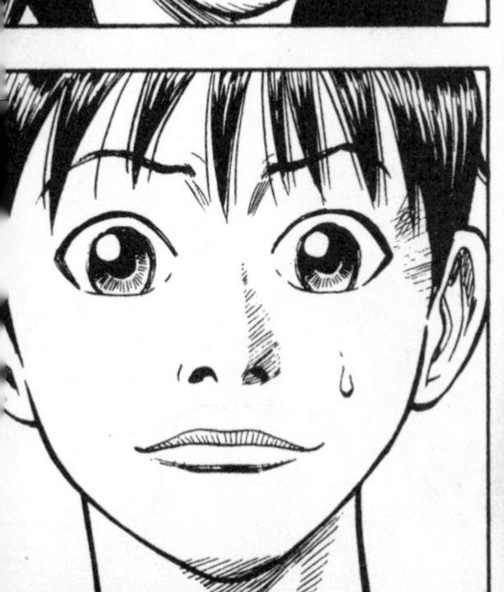

WAH
WAH

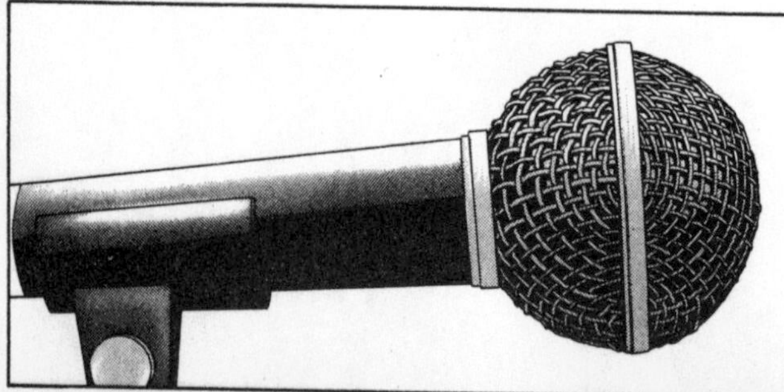

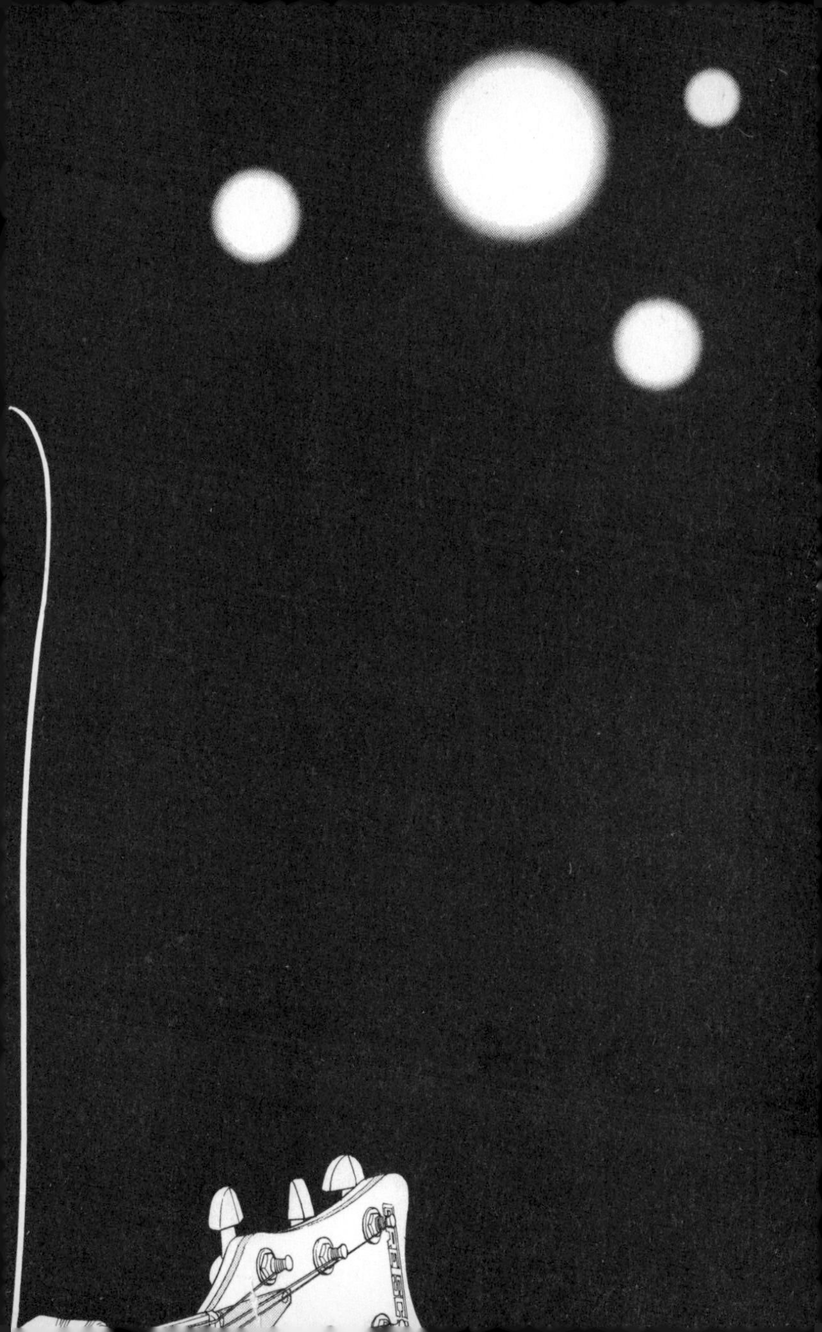

WAAAAAH

LE CHANT ÇA VA, MAIS TA GUITARE AVAIT LA TREMBLOTE !
GNIH

ふー
さくら銀行

TU ME PLAIS !
AVEC LE TEMPS, TU DEVIENDRAS UN GRAND CHANTEUR !

HM

QU'EST-CE QU'IL VIENT DE DIRE ?
QUE TU CRAINS À A GUITARE
Qu'il aille s prendre la grosse tête ...

CLAC

C'EST COMME UN RÊVE ...
EDDIE ET MATT DES BREED SONT VENUS CHEZ MOI ...

MITCHAN, FAUT SURTO PAS EFFAC L'AUTOGRAP D'EDDIE !
TU PENSES, JE VAIS LE GARDER À VIE !
ANGEL
Ichiro
LOVE
METS

PAR CONTRE, LÀ OÙ MATT PASSE, FAUT S'TAPER LE MÉNAGE ...
QUEL SALAUD ...
KHOF KHOF ...

REY, TU ME PRÊTES LUCILLE ?

!!

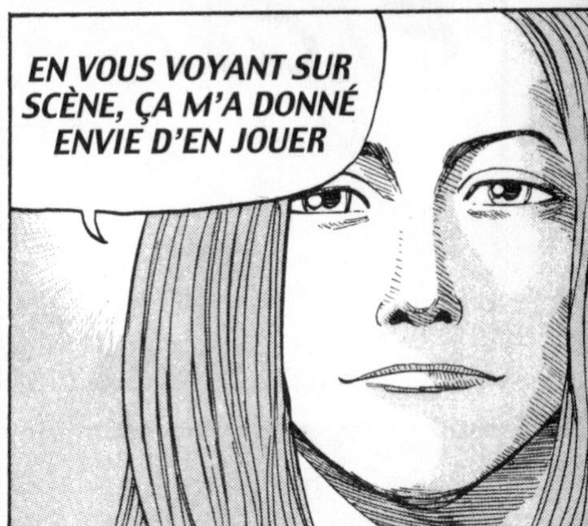
EN VOUS VOYANT SUR SCÈNE, ÇA M'A DONNÉ ENVIE D'EN JOUER

T'ES MALADE ?

SI "IL" L'APPREND, TU RISQUES TA PEAU !

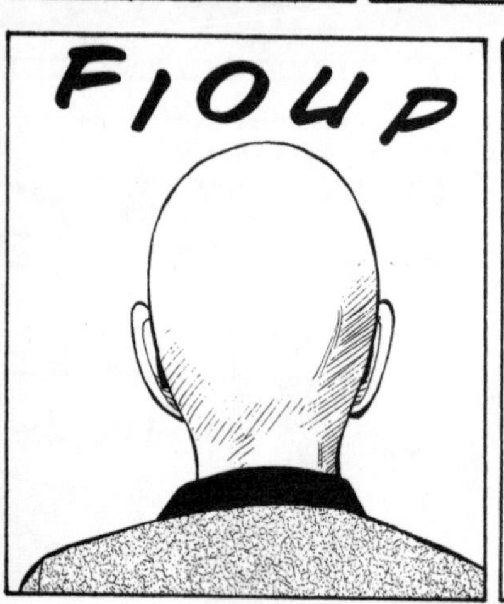
FIOUP

IL FAIT VRAIMEN PEUR, MATT !
C'EST PARCE QU'IL EST COMPLÈTEMENT BOURRÉ ...
S·U·B
P·O·P

AUJOURD'HUI, ON S'EST BIEN AMUSÉS

AU FAIT ! JE VOUS INVITE TOUS AU CONCERT PRIVÉ D'APRÈS-DEMAIN

EST-CE QUE LES ÉVÉNEMENTS D'AUJOURD'HUI SE SONT RÉELLEMENT PRODUITS ?!
JE N'ARRIVE PAS À Y CROIRE ...

see you !!

APRÈS CE QUI
S'ÉTAIT PASSÉ
CE JOUR-LÀ
...

JE CROIS
QUE J'AURAIS
PU MOURIR
SUR PLACE
PLITZ PLITZ PLITZ PLITZ

Harold Sakuishi
Presents

# BECK

# Beck

HAROLD SAKUISHI

PLITZ PLITZ PLITZ PLITZ

.. MA JE S UN INTIM ...
À L'IDÉE DE FAIRE UNE SESSION AVEC LES BREED

C'EST LE BUSINES QUI COMPT EIJI
ÇA N'A PAS ÉTÉ FACILE DE NÉGOCIER AVEC LE MANAGER D'UN GROUPE QUI VEND À HUIT MILLIONS D'EXEMPLAIRES AUX U.S.A.

ÇA FER UN SUP LANCEME POUR BE ÂME, ALC SOIS BC !
MERCI BEAUCOUP, RAN-SAN !

CE GROUPE, BELLE ÂME, IL A DE L'AVENIR ?

OUI, CE SONT DES PETITS NOUVEAUX CHAUDEMENT RE-COMMANDÉS PAR LA MAISON DE DISQUES JAPONAISE
T'EN PENSES QUOI, MATT ?

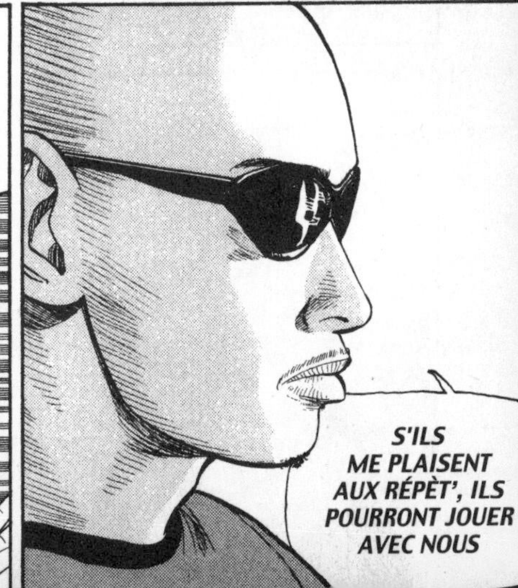
S'ILS ME PLAISENT AUX RÉPÈT', ILS POURRONT JOUER AVEC NOUS

COME ON ! ON PARLE BUSI-NESS, LÀ !

0:05:14
Belle âme... ÇA VEUT DIRE QUOI, "BELLE ÂME" ?
"BEAUTIFUL SOUL" EN FRANÇAIS

SONY
GNIH
JE VAIS RÉVÉLER AU MONDE ENTIER QUEL FORMIDABLE BUSINESSMAN TU ES, KEVIN
DAM DAM
JIM !! ÇA VA PAS DE VENIR FOURRER TA CAMÉ-RA JUSQU'ICI ?!

JE PEUX FAIRE ENTRER SIX PERSONNES POUR BECK

RIVEZ VOS
IOMS LÀ
TAKASUGI HONDA
RYÛICHI MIZUDA
HÔDAI KOJIMA
RIKO YOSHIDA
YÛ TAMURA

WAH
ENTRÉE DU PERSONNEL
WAH

WOA-AAAH ! GÉNI-AAAL !!

DANS MES BRAS, KOYUKI !
?
RYU... RYÛSUKE-KUN ...

DADAAAAM
CHI
BA
KU
!!
PAF

HI!!

WAH
WAH
WAH

JE VOIS RIEN

WAAAH

HOP

OH, ÇA COMMENCE !!

KOYUKI, ON S'AP-PROCHE DE LA SCÈNE !!

BOBOM
BOBOM
BOBOM
BOBOM

WYUNG
WAH, IL JOUE AVEC LES DENTS !!
ILS FONT LEUR INTRO À LA MANIÈRE D'HENDRIX !!
Cool !
OUAIIIS ! ON VA METTRE LE FEU AUJOUR-D'HUI !!
YEAH

NYAAA
OONG

WYAH
WYAH
DOH
WYUH
DO

DOOH
DOOH DOOH
DOOH
EDDIE M'A DIT ...
QUE MATT ADORE LA VOIX DE KOYUKI !

DOH
DOH
DOH
DOH
DOH

WAAAH

TU SAIS QUI C'EST ?
EUH, IL EST CONNU ?

AU JAPON, PAS EN-CORE
C'EST JIM WALSH, UN RÉALISA-TEUR D'À PEINE 28 ANS

SON FILM "THREE DAYS" EST SORTI AU PRINTEMPS AUX U.S.A. ET IL FAIT UN CARTON
LÀ IL TOURNE UN DOCUMEN-TAIRE SUR LA TOURNÉE DES BREED

JE VOUS PRÉSENTE NOTRE INVITÉ SPÉCIAL !

C'EST QUI ?
EDDIE CONNAÎT PLEIN DE MONDE, DE TOUTES LES GÉNÉRATIONS
WAH WAH
C'EST SÛREMENT UNE GROSSE VEDETTE !

MISTER EIJI KIMURA !!

DE QUOI ?
NYAH
C'EST QUI, CELUI-LÀ ?
CONNAIS PAS
NYAH
AIS EST OOL

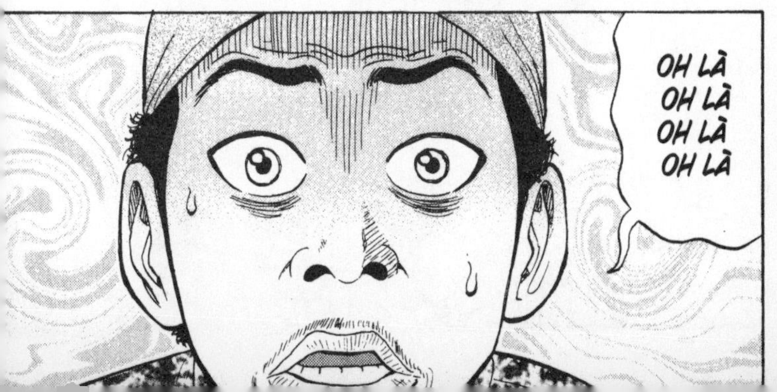
OH LÀ OH LÀ OH LÀ OH LÀ

ENFIN... UN PREMIER PAS VERS LA GLOIRE !!
Mais j'avais dit de pas donner mon nom de famille

FIOUUU
HÉ HÉ... LA NAISSANCE D'UNE STAR ...

BON... VOYONS... MA GUITAR ...
QU'EST-CE QUI ÉTAIT PRÉVU, DÉJÀ ?

TOC TOC

!!
DÉSOLÉ, MAIS ON NE PEUT PAS JOUER AVEC TOI
T'AS ÉTÉ NUL À LA RÉPÈT'

MA STRATO DE 59 ! JE L'AVAIS ACHETÉE CRÉDIT !!

JAMAIS TU SAUVERAS QUELQU'UN AVEC TA MUSIQUE
DÉGAGE

QU'EST-CE QUE TU FOUS, MATT ?!
DAM DAM DAM

...

HÉ HÉ... LE PUBLIC N'A RIEN CAPTÉ À L'HISTOIRE !
GNI HI HI
BROUHAHA
BROUHAHA

COMMENT ILS VONT FAIRE ? L'AMBIANCE EST PLUTÔT PLOMBÉE ...

STAFF

Come on !

!!

MATT TE DIT DE MONTER !!

SHH
GNIH
VIENS CHANTER AVEC NOUS !

BONSOIR, JE M'APPELLE YUKIO TANAKA !!

!!

QUI C'EST ?
BLAH
C'EST QU'UN GOSSE ...
BLAH
C'EST NUL !

BOBOM
BOBOM
BOBOM
BOBOM
BOBOM

KOYUKI, C'EST LAQUELLE, TA CHANSON PRÉFÉRÉE DES DYING BREED ?

QUELLE EST TA CHANSON PRÉFÉRÉE DES BREED ?!

?

"SWIMMIN
BARE"
...
C'EST UN DE MES MEILLEURS SOUVENIRS

GNIH

BOBOM
BOBOM
BOBOM
BOBOM
BOBOM

Swimming bare~♪

OUA
...
IL EST À CONTRE-TEMPS

TIENS TIENS... C'EST UNE SALE BLAGUE DE MATT ?

IL A TROUVÉ LE BON RYTHME !

T'ES GÉNIAL, KOYUKI

C'EST PAS UNE BLAGUE, J'AIME SA FAÇON DE CHANTER

I know !
GNIH

WAAAH

A
A
A

PFOU—
—UUU

IL A PAS ENCORE ATTERRI DEPUIS L'AUTRE SOIR ?
ÇA FAIT UNE SEMAINE QU'IL EST COMME ÇA

IL A SIGNÉ ES AUTO- GRAPHES PRÈS LE CONCERT ...

RYÛSUKE-KUN, EDDIE M'A DONNÉ UN CONSEIL !

... UNE GUITARE, C'EST COMME SI L'HUMANITÉ S'EXPRIMAIT EN SIX CORDES

PFFF
TU M'AS RACONTÉ CETTE HISTOIRE AU MOINS CENT FOIS !

BLAM

DÉSOLÉ REY, MAHO EST BOURRÉE !
LA FERME YOSHITO, J'AI PRESQUE RIEN BU !
LE PÈRE DE YOSHITO JOUE DANS UNE SÉRIE QUI PASSE LE LUNDI À 21 HEURES
JE SAIS
Je ne fais pas le poids face à ses amis de l'école américaine ...
YOSHITO, VOICI KOYUKI ...
IL A CHANTÉ AU CONCERT PRIVÉ DES DYING BREED
AH OUAIS ?!
AH OUAIS ?!

JE NE PEUX PAS ME MÊLER À EUX
JE NE PARLE PAS ANGLAIS, ET DE TOUTE FAÇON J'AI UN GROS COMPLEXE D'INFÉRIORITÉ
TRUTH

QU'EST-CE QUE ÇA POUVAIT BIEN SIGNIFIER ?

C'ÉTAIT SUR UN COUP DE TÊTE ?

CRI…
CRI…

DING
DING

APETERIE SAITÔ.

COM-MENT ?!

ON NE PEUT PAS PARTICIPER AU CONCOURS DE MUSIQUE CETTE ANNÉE ?!
C'EST DÉGUEU-LASSE !!
ÇA ME PARAÎT NORMAL, MAIS BON ...
JE RENTRE CHEZ MOI
...
JE ME SUIS ENTRAÎNÉ TRÈS DUR, 'BÉCILE !
Merci, tu peux y aller

PLOC
JE PASSAIS DANS LE COIN PAR HASARD
GNIH

ÇA VA ?
B... BIEN ! MAIS TOI, COMMENT ÇA MARCHE, IZUMI-CHAN ?

J'AI APPRI PAR KAYC CHAN QUE AVAIS CHAN AU CONCE DES BREE
C'EST GÉNIAL !

AH, OUI, UNE SALE BLAGUE DE MATT ...
AH AH AH

TU N'AU-RAIS PAS GRANDI, KOYUKI ?
Ta voix aussi est un peu plus grave
MIIIIN
MIIIN
AH ! M. SAITÔ ME LE DIT AUSSI CES TEMPS-CI

IL FAUT PROFITER DES VACAN-CES D'ÉTÉ !!
IL ME FAIT NAGER 3 KM PAR JOUR EN CE MOMENT ...
MON VIEUX MAILLOT DE BAIN EST EN LOQUES

HA HA HA ! MOI AUSSI JE VOUDRAIS NAGER, ÇA FAIT LONGTEMPS !
MAIS JE N'AI PAS DE MAILLOT

ET SI ON ALLAIT EN ACHETER UN ENSEMBLE DEMAIN ?
HEIN ?

* LAST SUMMER SALE ! ** EXCITING PRICE !! *** JOURS DE FERMETURE D'AOÛT : 10, 17, 24.

UN PEU PETIT, NON ?

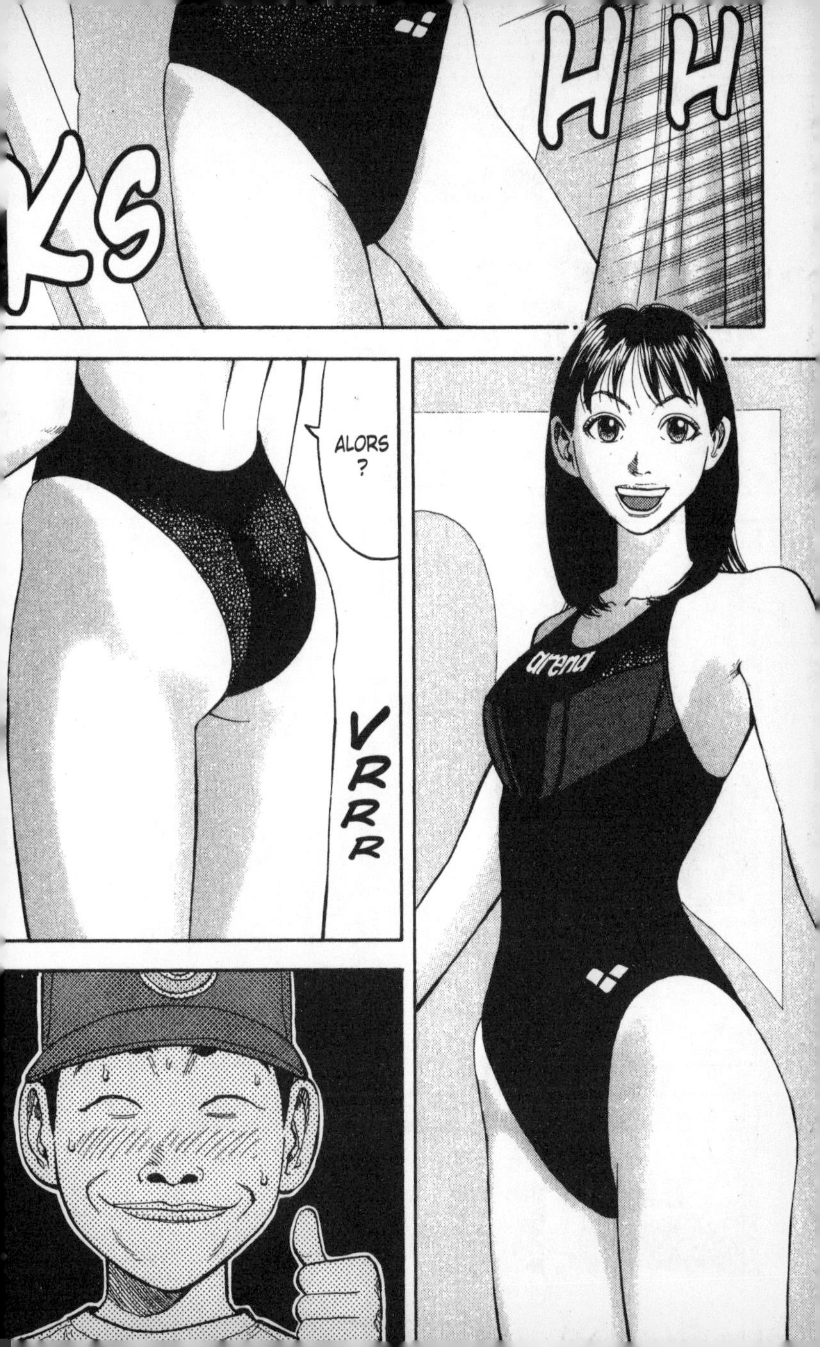
KS
HH
ALORS ?
VRRR
arena

FITTING ROOM
JE VAIS PRENDRE CELUI-LÀ
HAYAH ! HAYAH !! UNICITÉ DU CORPS ET DE L'ESPRIT !!

HIER ...

TU NE PASSAIS PAS PAR HASARD, N'EST-CE PAS ?

ON HABITE TOUS LES DEUX ASSEZ LOIN L'UN DE CHEZ L'AUTRE, NON ?
QUE SE PASSE-T-IL ?

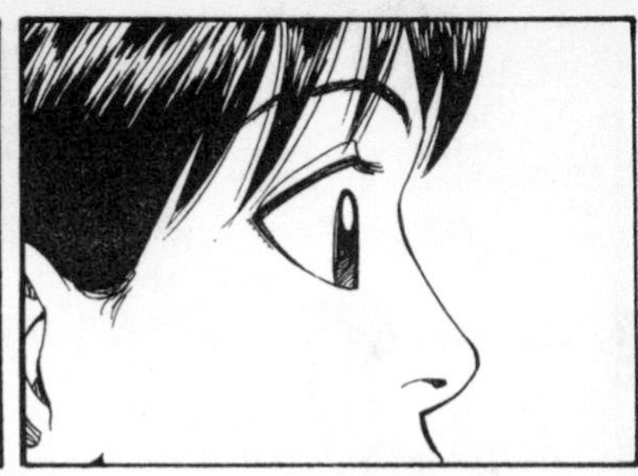

SI TU
NE VEUX PAS
ME LE DIRE,
C'EST PAS
GRAVE
J'AI
ROMPU
AVEC MON
PETIT AMI

HOP
HA HA !
ÇA ME DONNE
LE CAFARD,
FIN DE LA
DISCUSSION
!!

TU NE VAS PAS NAGER AUJOURD'HUI ?
LA PISCINE MUNICIPALE EST FERMÉE

CLING
LA MUNICIPALE, OUI ...

BONSOIR !
AH, YUKIO, UNE CERTAINE MAHO A APPELÉ PLUSIEURS FOIS

SI ELLE RAPPELLE, DIS-LUI QUE JE LUI TÉLÊPHONERAI PLUS TARD !!
DAM DAM
QUOI, TU RESSORS ?!
DU QUARTIER
NOUILLES
!!

BLA BLA

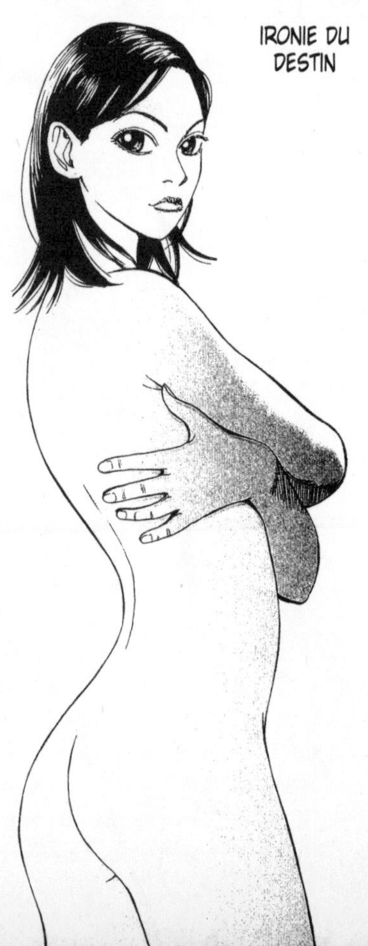
IRONIE DU DESTIN

ÇA FAIT UN AN JOUR POUR JOUR ...

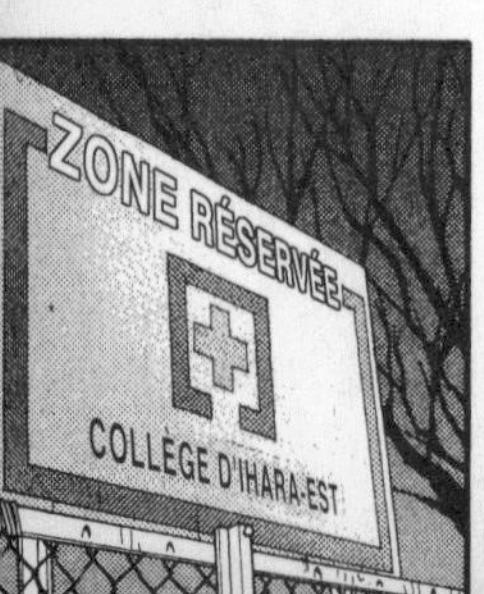
ZONE RÉSERVÉE
COLLÈGE D'IHARA-EST

arena

IZUMI-CHAN !
AH, TU ES VENU !
POF
TU AS DIT QUE TU VIENDRAIS MÊME SI JE N'ÉTAIS PAS LÀ...
SHH
ALORS J'AVAIS PAS LE CHOIX !

YOUPIII !
CHUT ! PAS SI FORT !
Quelqu'un pourrait venir

SPLATSH

TU VOIS ? IL NE FAUT PAS PLIER LES GENOUX TROP TÔT
ÇA FAIT PERDRE DES FORCES

DIS, TU AIMES MAHO ?

HEIIIN ?!

PASSONS AU BATTE-MENT DE JAMBES

PLATSH
PLATSH

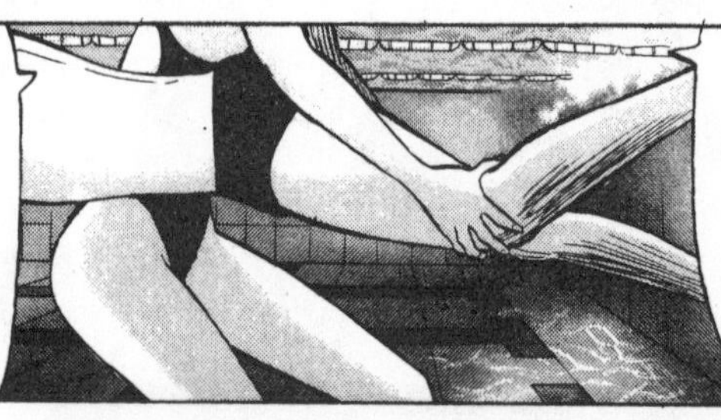
J'AI SU IL Y A LONG TEMPS PAR M. SAITÔ ...
CE QUI S'EST PASSÉ À LA PISCINE LE JOUR DU CONCOURS DE MUSIQUE, L'AN DERNIER

ELLE T'AIME, NON ?

BOOM
FIOUU
ON DIRAIT QUE J'AI RÉALISÉ TROP TARD MES SENTI-MENTS
GNÉ ?

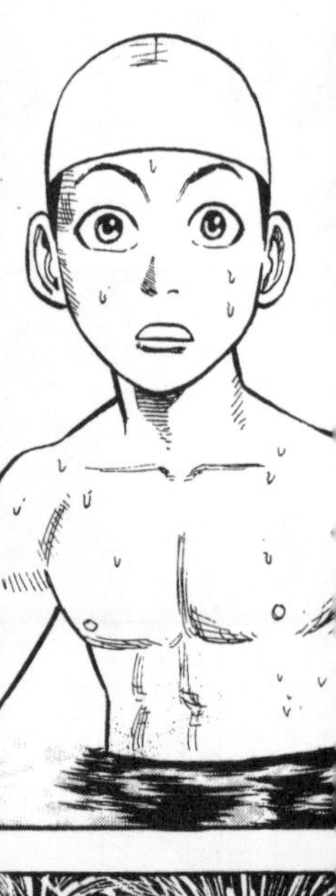

KSSSSH

Swimming bare under the moon ♪

No one but the moon light and me♪

VLAN

MAHO !!
DAH
DAH
DAH
DAH

BLAM
AÏE !!

MAHO !!

ÉTANG
DE
PÊCHE

OUIIII, MERCI INFINIMENT !

ILS VEULENT QU'ON LEUR APPORTE UNE DÉMO-TAPE
CLIC
C'EST LE DEUXIÈME LABEL

PAN
YEEEAH !!
ON DIRAIT QUE BECK A LE VENT EN POUPE
Grâce à Koyuki
FAIS UN PEU GAFFE !

HAPPY
SANGOKUSHI
CHRISTIE SAKUISHI

HAPPY
SANGOKUSHI
CHRISTIE SAKUISHI

CHOC AUX U.S.A. !!
UNE DIVA S'EST SUICIDÉE !!

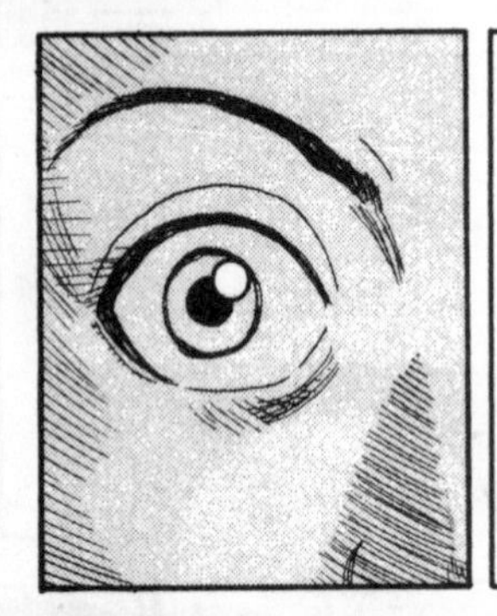

AU SOMMET DE SA GLOIRE, POURQUOI ?!
ERIKA BLIGE (24 ANS) S'EST SUICIDÉE AVEC UN PISTOLET DANS SA CHAMBRE D'HÔTEL DE NEW YORK

BRRR
BRRR
BRRR

CE N'EST PAS POSSIBLE !!
TO BE CONTINUED

# STAFF SP

Nobuyuki Manaka

18 combats, 8 victoires,
7 défaites et 3 matches nuls,
le mec normal de Sakuishi-Prod !!!

Yûken Nakater

800 combats de rue sans défaite !!

Tar

Celui qui s'est endormi pendant le Colosseum
2000 alors qu'il y était allé
aux frais de M. Sakuishi.

Shin'ichi Sawa

Il a l'air si miteux que ça ?

ublished in Japan in 2000 by Kodansha Ltd., Tokyo
ation rights for this French edition
ged through Kodansha Ltd.

vision éditoriale : Akata


légal : mars 2005. I.S.B.N. : 2-84789-624-4

ction et adaptation : Élodie Lepelletier
ge : Éliette Blatché
eption graphique : Trait pour Trait

mé et relié en février 2005
s presses de l'imprimerie Aubin, à Ligugé.

**v.akata.fr**
**v.editions-delcourt.fr**